E AND
Andersen, H. C. 1805-1875.
El ruiseänor

S0-AVU-277

AVON PUBLIC LIBRARY
BOX 977/200 BENCHMARK RD
AVON, CO 81620

EAGLE VALLEY LIBRARY DISTRICT
1 06 0002534765

© 1984, Verlag Neugebauer Press, Salzburg, Austria
Título original: *Die Nachtigall*
Traducción: Oriol Gelabert
© Ediciones Destino, S.A.
Consejo de Ciento, 425. 08009 Barcelona
Primera edición: septiembre 1987
ISBN: 84-233-1567-3
Depósito legal: B. 30.318-1987
Impreso por Sirven Gráfic, S.A.
Caspe, 113. 08013 Barcelona
Impreso en España - Printed in Spain

AVON PUBLIC LIBRARY
BOX 977/200 BENCHMARK RD
AVON, CO 81620

Hans Christian Andersen
Lisbeth Zwerger

EL RUISEÑOR

EDICIONES DESTINO

Como todo el mundo sabe, en China el emperador es chino, así como chinos son también todos aquellos que le rodean. Esta historia es muy antigua, por ello debe ser contada antes de que caiga en el olvido.

El palacio del emperador era el más maravilloso del mundo. Estaba construido con la más hermosa y fina porcelana, aunque tan frágil y quebradiza que sólo se podía tocar con gran delicadeza. En el jardín crecían las flores más extraordinarias; las más bellas estaban adornadas por campanillas de plata que tintineaban cuando alguien pasaba entre ellas, invitándole a mirarlas. El jardín había sido cuidado hasta el último detalle y su extensión era tan inmensa que ni siquiera el jardinero había llegado a conocer sus límites. Si alguien se adentraba en él, encontraba soberbios bosques donde había árboles altísimos y profundos lagos. El mar era profundo y azul, y penetraba en los lindes del bosque, de modo que las ramas de los árboles tocaban los barcos más grandes cuando navegaban hacia el interior. Entre las ramas que se agitaban sobre las aguas vivía un ruiseñor de tan dulce canto que hasta el más atareado de los pescadores se detenía a escucharlo cuando al anochecer salía a tender sus redes.

–¡Oh, cielos, qué belleza! –decían. Pero no podían detenerse y se olvidaban del ruiseñor. A la noche siguiente, cuando ya habían tendido sus redes, se paraban de nuevo a escucharlo y volvían a exclamar: «¡Qué belleza!».

Viajeros de los más diversos países acudían a visitar la ciudad del emperador y admiraban el palacio y los jardines; pero cuando escuchaban el canto del ruiseñor exclamaban:

–¡Ah, esto es lo más extraordinario!

Cuando regresaban a sus tierras hacían minuciosas descripciones, y los sabios escribían libros hablando de la ciudad, del palacio y del jardín del emperador.

Pero ninguno dejaba de mencionar al ruiseñor, que se llevaba siempre los mayores elogios. Los poetas componían los más hermosos versos recordando al ruiseñor que vivía en el bosque a orillas del mar profundo y azul. Los libros recorrieron todo el mundo y llegaron incluso a manos del emperador. Éste, sentado en su sitial de oro, leía y leía; en ocasiones hacía un movimiento de aprobación con la cabeza, satisfecho por las bellas descripciones de sus dominios. Pero un día leyó: «El ruiseñor es lo más extraordinario».

–¿Qué es esto? –se preguntó–. ¿Un ruiseñor? Nunca había oído hablar de él. ¿Cómo es posible que exista un pájaro de esta naturaleza en mi imperio, y, por si fuera poco, en mi jardín? Jamás había oído hablar de él. ¡He tenido que llegar a enterarme por los libros! ¡Quién lo iba a decir!

Hizo llamar inmediatamente al mayordomo de palacio, caballero de tan alta alcurnia que cuando alquien de inferior rango se atrevía a acercársele para dirigirle la palabra o preguntarle algo, respondía con tono displicente: «¡P!», lo que carece de significado.

–Dicen que existe aquí un pájaro maravilloso que llaman ruiseñor –dijo el emperador–. Al parecer es lo mejor que hay en mi imperio. ¿Por qué jamás me habéis informado de su existencia?

–Nunca lo había oído nombrar –dijo el mayordomo excusándose–. Nunca fue presentado a la Corte.

–Deseo que comparezca esta noche ante mi presencia y que cante para mí –dijo el emperador–. Todo el mundo conoce aquello que me pertenece menos yo.

–Nunca antes de ahora había oído hablar de él –repuso el mayordomo–. Lo buscaré y lo hallaré.

Pero ¿dónde encontrarlo? El mayordomo subió y bajó escaleras, recorrió salas y pasillos. Nadie le daba razón de dónde podía encontrarse el ruiseñor; nunca habían oído hablar de él. Desesperado por lo inútil de la búsqueda, regresó junto al emperador y le dijo que tal vez se tratara de una fábula inventada por quienes habían escrito los libros.

–Vuestra Majestad Imperial no debe hacer caso de todo lo que lee en los libros. A menudo, los libros son puras fantasías, incluso cuando no pertenecen a lo que llamamos magia negra.

–Pero el libro en el que lo he leído me ha sido enviado por el poderosísimo emperador del Japón y no puede contener, por tanto, falsedad alguna. Quiero escuchar al ruiseñor esta noche –insistió el emperador–. Si acude, le concederé mi más alta protección. De no ser así, haré que todos los miembros de mi Corte sean pateados en el estómago después de cenar.

–¡Tsing-pe! –dijo el mayordomo.

Y volvió a subir y bajar escaleras, a recorrer salas y pasillos. La mitad de la Corte corría con él, pues a ninguno le hacía gracia que le patearan el estómago. Hicieron preguntas y más preguntas sobre aquel ruiseñor que todo el mundo conocía salvo los miembros de la Corte. Por fin encontraron una humilde muchachita en la cocina que les dijo:

–¡Oh, cielos! ¿El ruiseñor? ¡Por supuesto que lo conozco! Verdaderamente sabe lo que es cantar. Cada noche se me permite recoger las sobras de la comida y llevárselas a mi madre enferma que vive allá abajo, muy cerca del mar. Al regresar, cuando estoy muy cansada, me siento un ratito en el bosque. Entonces escucho el canto del ruiseñor. Los ojos se me llenan de lágrimas, como cuando mi madre me da un beso. Es un recuerdo que me hace estremecer por su dulzura.

–Pequeña cocinera –dijo el mayordomo–; te proporcionaré un empleo fijo en la cocina y tendrás permiso para ver comer al emperador si nos conduces adonde se encuentra el ruiseñor. Esta noche debe comparecer en la Corte.

Entonces, todos se dirigieron hacia el lugar del bosque en el que el ruiseñor solía cantar. Mientras se acercaban presurosos se oyó el mugido de una vaca.

–¡Oh! –exclamó un joven caballero de la Corte–. ¡Aquí está! Qué gran fuerza en un animal tan pequeño. Ya lo había escuchado antes.

–No, eso son vacas que mugen –contestó la joven cocinera–. Nos encontramos todavía muy lejos del lugar.

En el pantano se oyó el croar de las ranas.

–¿Y esto es lo que dicen que es tan bonito? –exclamó el capellán del palacio imperial–. Es muy parecido al repique de las campanas de la iglesia.

–¡No, eso son ranas! –dijo la pequeña cocinera–. Pero presiento que no tardaremos en oírlo.

Entonces, el ruiseñor empezó a cantar.

–¡Ése es! –exclamó la muchacha–. ¡Escuchad, escuchad! ¡Allí está! –y señaló un pajarillo de color ceniza que se balanceaba en una rama.

–¿Es posible? –dijo el mayordomo–. Jamás me lo hubiera imaginado así. Parece tan vulgar… Tal vez, intimidado por unos visitantes tan ilustres, haya perdido el color.

–Pequeño ruiseñor –exclamó la joven cocinera–, nuestra graciosa Majestad quiere que cantes para él.

–Será un placer –dijo el ruiseñor, cantando deliciosamente.

–Parecen realmente campanillas de cristal –dijo el mayordomo–. Mirad cómo vibra su garganta. Es increíble que nunca hasta ahora lo hayamos escuchado. Tendrá un gran éxito en la Corte.

–¡Ah!, ¿tendré que cantar de nuevo para el emperador? –preguntó el ruiseñor pensando que el emperador estaba presente.

–Mi pequeño y amable ruiseñor –dijo el mayordomo–, es para mí un gran honor reclamar tu presencia a una fiesta que tendrá lugar esta noche en palacio, y en donde deleitarás a su graciosa Majestad con tu armonioso y dulce canto.

–Mi canto suena mejor en los verdes bosques –objetó el ruiseñor.

Pero al decirle que el emperador así lo quería, aceptó de buen grado.

El palacio fue completamente iluminado para aquella ocasión. Las paredes y el suelo, que eran de porcelana, refulgían, limpísimos, bajo la intensa luz de millares de lámparas de oro; las más hermosas y delicadas flores engalanaban los largos pasillos del palacio imperial; la agitación era tan grande que el movimiento del aire hacía tintinear las campanillas de las flores, y con el sonido de éstas era imposible

entenderse. En el centro de la gran sala donde estaba sentado el emperador se dispuso una percha de oro para el ruiseñor. Toda la Corte se encontraba allí reunida, y a la pequeña de la cocina se le permitió estar detrás de la puerta, pues ya tenía el título oficial de cocinera. Todos lucían sus mejores vestidos y miraban al pajarillo de color ceniza que el emperador saludaba moviendo la cabeza.

El ruiseñor cantó deliciosamente, y al emperador le saltaron las lágrimas y le rodaron por las mejillas; entonces, el ruiseñor cantó mejor que nunca y sus notas conmovieron todos los corazones. El emperador se sintió fascinado y le dijo al ruiseñor que le regalaría su zapatilla de oro para que la llevara colgada del cuello. Pero el ruiseñor, tras de manifestar su agradecimiento, declinó el obsequio, diciendo que se sentía ya bastante recompensado.

–He visto caer las lágrimas de tus ojos, y ésta es para mí la más valiosa de las recompensas. ¡Las lágrimas de un emperador tienen un poder extraordinario! Dios sabe que he sido premiado con holgura –y de nuevo prorrumpió en dulces y celestiales cantos.

–Es la más exquisita coquetería que jamás hayamos visto –exclamaron las damas.

Se aclararon la garganta con agua para gorjear cuando alguien les hablara, con la esperanza de ser así tan prodigiosas como el ruiseñor. Hasta los sirvientes y las doncellas expresaron su satisfacción; y es mucho decir, porque es gente difícil de complacer. Es bien cierto que el ruiseñor había causado una gran sensación en la Corte.

Ahora debería permanecer en la Corte y tener su propia jaula, de la que tendría libertad para salir dos veces durante el día y una durante la noche. Doce lacayos le acompañaban siempre sujetando hilos de seda atados a sus patas. No era muy alegre un paseo en tales condiciones.

Toda la ciudad hablaba del maravilloso pájaro, y cuando se encontraban dos personas, una decía a la otra: «Rui..», y la otra respondía: «…señor»; después, ambas exhalaban un suspiro, habiéndose entendido perfectamente. A once hijos

de comerciantes se les dio el nombre de ruiseñor. Pero de la garganta de ninguno de ellos salió nunca nota musical alguna.

Un día llegó un gran paquete para el emperador en el que estaba escrita la palabra *Ruiseñor*.

–Debe de tratarse de un nuevo libro sobre nuestro tan celebrado pájaro –dijo el emperador.

Pero no era un libro, sino un artilugio, una pequeña obra de arte colocada en el interior de una caja: un ruiseñor artificial idéntico al vivo, pero con incrustaciones de diamantes, rubíes y zafiros.

Cuando se le daba cuerda, el pájaro se ponía a cantar como el ruiseñor de verdad, y de su cola salían destellos de plata y oro. Alrededor de su cuello colgaba una pequeña cinta en la que se leía: «El ruiseñor del emperador del Japón es inferior al del emperador de China».

–¡Fantástico! –exclamaron todos al unísono, y al mensajero que había traído el pájaro artificial le fue otorgado el título de Gran Correo Imperial de Ruiseñores.

–Hay que hacerlos cantar juntos; formarán un dúo increíble.

Y cantaron juntos, pero no salió bien. El ruiseñor de verdad cantaba según su inspiración, mientras que el artificial cantaba sólo al ritmo que marcaba su mecanismo.

–No hay ningún problema en esto –dijo el maestro de música–. Sigue perfectamente el compás y es de todo punto respetuoso con las reglas de la música.

Así pues, a partir de entonces el pájaro artificial tuvo que cantar solo. Alcanzó tanto éxito como el otro, y su aspecto era mucho más atractivo. Refulgía como una pulsera o un broche.

Entonó treinta y tres veces la misma melodía sin fatigarse. Los cortesanos no se cansaban de oírla y querían escucharla de nuevo; sin embargo, el emperador opinó que ahora debía cantar el ruiseñor de verdad. Pero ¿dónde se encontraba? Sin

que nadie reparara en ello, había emprendido el vuelo, y, saliendo por la ventana abierta, se había dirigido hacia los verdes bosques.

–¿Qué significa esto? –dijo el emperador.

Todos los cortesanos se pusieron de acuerdo en señalar la ingratitud del pájaro. «Pero aún nos queda el mejor de los dos», dijeron todos. Y el ruiseñor artificial tuvo que cantar de nuevo, y así oyeron por trigesimocuarta vez la misma canción, aunque todavía no la habían aprendido porque era muy difícil.

El maestro de música hizo grandes elogios del pájaro, insistiendo en que era mucho mejor que el ruiseñor de verdad, no solamente por la belleza de su aspecto exterior, bruñido de piedras preciosas, sino también por su interior.

–Tomad en consideración, damas y caballeros, y especialmente vos, ¡oh gran emperador!, que el canto del ruiseñor de verdad es totalmente imprevisible, mientras que el del ruiseñor artificial está determinado de antemano: así es y así seguirá siendo, sin poder ser de otra manera. En él, todo es explicable; se puede abrir y da muestra del talento de los hombres; se ve cómo se disponen y se engarzan sus piezas, de qué forma se encadenan sus movimientos.

–Es exactamente lo que pensamos –afirmaron todos.

El maestro de música fue autorizado a presentar el pájaro al pueblo el domingo siguiente. También el pueblo debe escucharlo, dijo el emperador; y así se hizo, quedando todos tan entusiasmados como si se hubieran embriagado de té, costumbre profundamente arraigada en China. Después, todos dijeron: «¡Oh!», y levantando el dedo índice inclinaron la cabeza. Pero los humildes pescadores, que recordaban el canto del otro ruiseñor, señalaron:

–Es muy hermoso, las melodías son parecidas a las del ruiseñor de verdad, pero le falta algo…

El ruiseñor de verdad fue desterrado de la ciudad y del imperio.

El pájaro artificial tenía su sitio sobre un cojín de seda en la alcoba del emperador. A su alrededor estaban esparcidos todos los presentes, oro y piedras preciosas que había recibido. Le nombraron Gran Cantor de la Mesa de Noche

AVON PUBLIC LIBRARY
BOX 977/200 BENCHMARK RD
AVON, CO 81620

Imperial, ocupando el lugar de más alta categoría, a mano izquierda; porque el emperador consideraba ese lado el más importante, por estar allí situado el corazón, incluso en el pecho de los emperadores. Sobre el pájaro artificial, el maestro de música escribió veinticinco gruesos volúmenes de gran erudición, repletos de las más complicadas palabras chinas. Todos afirmaban haberlo leído y comprendido, pues de lo contrario hubieran sido tildados de ignorantes y pisados en el vientre.

De este modo siguieron las cosas durante un año. El emperador, la Corte y el resto de los chinos conocían de memoria hasta el último y más mínimo detalle de los gorgoritos del pájaro artificial; esto hacía que les complaciera todavía más, porque así podían unirse al canto. Los muchachos de la calle lo imitaban –«tzi, tzi, tzi» y «cluc, cluc, cluc»–, y el mismísimo emperador hacía coro. Era muy divertido.

Pero una noche en que el pájaro mecánico repetía su eterna canción y el emperador, recostado en su lecho, lo escuchaba embelesado, se oyó un extraño ruido en el interior del pájaro. Se rompió un resorte y las ruedas del artilugio quedaron inmóviles, cesando la música de inmediato.

El emperador saltó de la cama y pidió que fueran a buscar a su médico, pero ¿qué servicio podía prestar éste? Luego ordenó que avisaran al relojero, quien después de una retahíla de palabras y un detenido examen consiguió que el pájaro funcionara de nuevo; pero advirtió que no convenía hacerlo funcionar muy a menudo, pues estaba muy gastado y él no disponía de los elementos necesarios para renovar su mecánica con garantía de que la melodía siguiera sonando.

Esto causó una gran tristeza. Sólo se atrevieron a hacer cantar al pájaro una vez al año, como mucho; pero entonces, para esta ocasión, el maestro de música preparaba un breve discurso lleno de complicadas palabras, afirmando que el canto del pájaro era el mismo de siempre, y así lo aceptaban todos.

Pasados cinco años, un gran duelo conmovió el imperio, pues todos querían mucho al emperador y éste había caído enfermo y se decía que iba a morir.

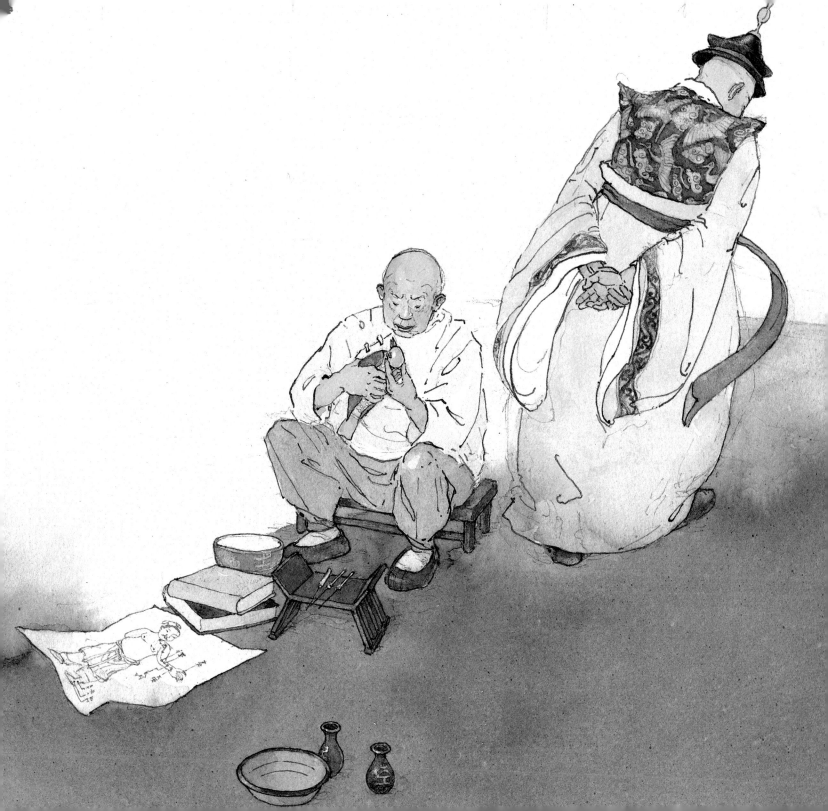

Se eligió un nuevo emperador, y la gente, en la calle, preguntaba al mayordomo por la salud de su emperador.

–¡P! –respondía el mayordomo moviendo la cabeza.

El emperador yacía pálido y frío en su suntuoso lecho. Todos los cortesanos le daban ya por muerto y corrían a presentar sus respetos al nuevo emperador. Los lacayos iban de un lado a otro comentando el suceso, y las camareras celebraron una gran reunión donde se sirvió café. Se extendieron largas alfombras por todas las salas y pasillos de palacio para amortiguar el ruido de los pasos, quedando todo sumido en un profundo silencio. Pero el emperador aún no estaba muerto. Se hallaba tendido, pálido y rígido, en su lujoso lecho, rodeado de cortinajes de terciopelo y pesadas borlas de oro. Encima de la cama había una ventana abierta por donde penetraba la luz de la luna iluminando al emperador y al pájaro artificial.

El pobre emperador respiraba con dificultad, como si su pecho sostuviera una pesada carga. Abrió los ojos y vio la figura de la Muerte sentada sobre su pecho y llevando su corona de oro. Con una mano sujetaba el dorado sable del emperador y con la otra el magnífico estandarte imperial. A su alrededor, entre los pliegues de las cortinas de terciopelo, asomaban curiosas cabezas; horribles algunas, gentiles y risueñas otras. Eran las buenas y las malas acciones del emperador, que lo miraban ahora que la Muerte le apretaba el corazón.

–¿Os acordáis de aquello? –murmuraban una tras otra–. ¿Y de aquello otro? –Y le decían tantas cosas que el sudor resbalaba por su rostro.

–Nunca había visto algo parecido –dijo el emperador–. ¡Música, música! ¡Que suene el gran tambor chino –gritó– para no oír sus voces!

Pero ellas seguían y seguían, y la Muerte asentía con la cabeza todo cuanto decían, como si fuera un chino.

–¡Música, música! –gritaba el emperador–. ¡Tú, pajarillo dorado, canta, canta! Te he rodeado de piedras preciosas y he colgado mi zapatilla de oro alrededor de tu cuello. ¡Canta, canta!

Pero el pájaro permanecía en silencio, porque no había nadie que le diera cuerda, y la Muerte continuaba fijando sus grandes cuencas vacías en el emperador, y todo estaba silencioso, muy silencioso.

De pronto, cerca de la ventana, estalló un hermosísimo canto: era el ruiseñor viviente posado afuera, en una rama. Había oído hablar de la desventura del emperador y acudió a proporcionarle consuelo y esperanza. Mientras él cantaba, las caras agrupadas en torno al lecho fueron haciéndose más y más pálidas, y la sangre empezó a circular de nuevo con fuerza por el debilitado cuerpo del emperador. Hasta la propia Muerte, al escuchar el canto, decía:

—Sigue, ruiseñor, sigue.

—Así lo haré, si me das el sable dorado y resplandeciente, y el estandarte imperial, y la corona del emperador.

Y la Muerte le fue entregando cada uno de estos tesoros por una canción, y el ruiseñor siguió cantando; cantó el silencioso cementerio, donde florecen blancas rosas y la flor del saúco embalsama el aire con su dulce perfume, y la hierba joven es humedecida por las lágrimas de aquellos que lloran a sus seres queridos. Entonces, la Muerte, invadida por la nostalgia de su jardín, desapareció por la ventana como una blanca y pálida niebla.

—¡Gracias, gracias! —dijo el emperador—; gracias, pájaro celestial. Bien cierto que te conozco. Te expulsé de mi reino y tú, en cambio, has ahuyentado los fantasmas que rodeaban mi lecho y has alejado a la muerte misma de mi corazón. ¿Qué recompensa podré darte?

—Ya me has recompensado —dijo el ruiseñor—. Hice caer las lágrimas de tus ojos la primera vez que canté para ti y siempre me acompañará este recuerdo. Ésas son las joyas que alegran el corazón del cantor. Pero ahora debes descansar para reponerte. Cantaré de nuevo para ti. —Y entonces cantó de nuevo, y el emperador cayó en un sueño dulce y reparador.

El sol resplandecía atravesando con su luz la ventana de la alcoba cuando se despertó fortalecido y sano. Ninguno de sus sirvientes había regresado junto a él,

lo creían muerto, pero el ruiseñor permanecía todavía allí cantando.

–Quiero que no te separes nunca de mi lado –dijo el emperador–. Sólo tendrás que cantar cuando lo desees, y romperé en mil pedazos el ruiseñor artificial.

–Nada de esto –dijo el ruiseñor–. Él ha hecho todo el bien que ha podido. Guárdalo así, como siempre has hecho. No puedo abandonar mi nido para vivir en palacio; pero deja que venga cuando me plazca. Me posaré en esta misma rama por la noche y cantaré para ti. Cantaré para alegrar tu corazón y también para que medites. Te traeré canciones de los afortunados y de aquellos que padecen adversidad. Cantaré sobre el bien y el mal que te ocultan. El pajarillo cantor debe volar lejos, hacia todos los lugares, desde la morada del humilde pescador hasta el tejado de la casa del campesino. Así observo a todos los que están lejos de ti y de tu Corte. Amo tu corazón más que tu corona, aunque hay también un olor a santidad en tu corona. Volveré y cantaré para ti. Pero debes prometerme algo.

–Te prometo todo lo que quieras –dijo el emperador, que permanecía de pie, con las vestimentas imperiales recién puestas y apoyando el pesado sable de oro contra su pecho.

–Te ruego que no digas a nadie que tienes un pajarillo que todo te lo cuenta. ¡Será mejor así!

Y el ruiseñor emprendió el vuelo.

Los sirvientes entraron para ver el aspecto de su emperador ya difunto…, y lo encontraron de pie ante ellos. Los recibió diciendo:

–¡Buenos días!

Lisbeth Zwerger ha consolidado en poco tiempo su nombre en el mundo de la ilustración. En tan sólo siete años ha obtenido dos veces la medalla de oro en la Bienal Internacional de Ilustración de Bratislava. Ha sido premiada tres veces en la Feria Internacional del Libro Infantil de Bolonia y dos libros suyos fueron seleccionados por el *New York Times* entre los libros mejor ilustrados del mundo en 1982 y 1983. El museo de Klingspor organizó en 1983 una exposición individual de sus obras. En 1984 fue nominada para el Premio Hans Christian Andersen. Todo ello confirma que nos encontramos ante una de las más importantes ilustradoras de literatura infantil de nuestros días.

Su estilo deriva básicamente de ejemplos clásicos. Con sus ilustraciones, Lisbeth Zwerger proporciona a los textos nuevas y sorprendentes significaciones. Siempre aparece una nueva visión, basada en las cualidades poéticas del texto.

AVON PUBLIC LIBRARY
BOX 977/200 BENCHMARK RD
AVON, CO 81620